Emmanuel Aquin

Le donjon de Pestilä

Illustrations de
Luc Chamberland

Inspiré de la série télévisée *Kaboum*,
produite par Productions Pixcom inc.
et diffusée à Télé-Québec

la courte échelle

Les éditions de la courte échelle inc.
160, rue Saint-Viateur Est, bureau 404
Montréal (Québec) H2T 1A8
www.courteechelle.com

Direction littéraire:
Annie Langlois

Révision:
Marie Pigeon Labrecque

Conception graphique de la couverture:
Elastik

Conception graphique de l'intérieur:
Émilie Beaudoin

Infographie:
Nathalie Thomas

Coloriste:
Étienne Dufresne

Dépôt légal, 4e trimestre 2009
Bibliothèque nationale du Québec

D'après la série télévisuelle intitulée *Kaboum* produite par Productions Pixcom Inc. et télédiffusée par Télé-Québec.

La courte échelle reconnaît l'aide financière du gouvernement du Canada par l'entremise du Programme d'aide au développement de l'industrie de l'édition pour ses activités d'édition. La courte échelle est aussi inscrite au programme de subvention globale du Conseil des Arts du Canada et reçoit l'appui du gouvernement du Québec par l'intermédiaire de la SODEC.

La courte échelle bénéficie également du Programme de crédit d'impôt pour l'édition de livres – Gestion SODEC – du gouvernement du Québec.

Catalogage avant publication de Bibliothèque et Archives nationales du Québec et Bibliothèque et Archives Canada

Aquin, Emmanuel

Kaboum

(Série La maladie de Pénélope)
Sommaire: t. 19. Le donjon de Pestilä.

Pour enfants de 6 ans et plus.

ISBN 978-2-89651-205-8

I. Chamberland, Luc. II. Titre. III. Titre: Le donjon de Pestilä.

PS8551.Q84K33 2007 jC843'.54 C2007-942059-1
PS9551.Q84K33 2007

Imprimé au Canada

Emmanuel Aquin

Le donjon de Pestilä

Illustrations de
Luc Chamberland

la courte échelle

Les Karmadors et les Krashmals

Un jour, il y a plus de mille ans, une météorite s'est écrasée près d'un village viking. Les villageois ont alors entendu un grand bruit: *kaboum!* Le lendemain matin, ils ont remarqué que l'eau de pluie qui s'était accumulée dans le trou laissé par la météorite était devenue violette. Ils l'ont donc appelée… *l'eau de Kaboum*.

Ce liquide étrange avait la vertu de rendre les bons meilleurs et les méchants pires, ainsi que de donner des superpouvoirs. Au fil du temps, on a appelé les bons qui en buvaient les *Karmadors*, et les méchants, les *Krashmals*.

Au moment où commence notre histoire, il ne reste qu'une seule cruche d'eau de Kaboum, gardée précieusement par les Karmadors.

Le but ultime des Krashmals est de voler cette eau pour devenir invincibles. En attendant, ils tentent de dominer le monde en commettant des crimes en tous genres. Heureusement, les Karmadors sont là pour les en empêcher.

Les personnages du roman

Magma (Thomas)

Magma est un scientifique. Sa passion : travailler entouré de fioles et d'éprouvettes. Ce Karmador grand et plutôt mince préfère la ruse à la force. Lorsqu'il se concentre, Magma peut chauffer n'importe quel métal jusqu'au point de fusion.

Gaïa (Julie)

Gaïa est discrète comme une souris : petite, mince, timide, elle fait tout pour être invisible. Son costume de Karmadore comporte une cape verdâtre qui lui permet de se camoufler dans la nature. Gaïa a un don : grâce à ses antennes, elle peut dialoguer avec toutes les espèces végétales.

Mistral (Jérôme)

Mistral est un beau jeune homme aux cheveux blonds et aux yeux bleus, fier comme un paon et sûr de lui. Son pouvoir est son supersouffle, qui lui permet de créer un courant d'air très puissant.

Lumina (Corinne)

Lumina est une Karmadore solitaire très jolie et très coquette. Elle est capable de générer une grande lumière dans la paume de sa main. Quand Lumina tient la main de son frère jumeau, Mistral, la lumière émane de ses yeux et s'intensifie au point de pouvoir aveugler une personne.

Titania

Titania est prête à tout pour protéger les enfants contre les attaques krashmales. Elle est déterminée et courageuse, et ses muscles peuvent devenir aussi durs que du titane. Elle est appréciée de tous les Karmadors et de tous les petits.

Xavier Cardinal

Xavier est plus fasciné par la lecture que par les sports. À sept ans, le frère de Mathilde est un rêveur, souvent dans la lune. Il est blond et a un œil vert et un œil marron (source de moqueries de la part de ses camarades à l'école). Xavier, qui est petit pour son âge, a hâte de grandir pour devenir enfin un superhéros, un pompier ou un astronaute.

Mathilde Cardinal

C'est la sœur aînée de Xavier et elle n'a peur de rien. À neuf ans, Mathilde est une enfant un peu grande et maigre pour son âge. Sa chevelure rousse et ses taches de rousseur la complexent beaucoup. En tout temps, Mathilde porte au cou un médaillon qui lui a été donné par son père.

Pénélope Cardinal

Pénélope est la mère de Mathilde et de Xavier. Cette femme de 39 ans est frêle, a un teint pâle et une chevelure blanche. Elle est atteinte d'un mal inconnu qui la cloue dans un fauteuil roulant.

Fiouze

Fiouze est un Krashmal poilu au dos voûté et aux membres allongés. Son pouvoir est unique : ses mains peuvent se détacher de son corps et courir toutes seules pour accomplir sa volonté. Autrefois, il était l'assistant de Shlaq, mais il travaille désormais pour Blizzard.

Blizzard

Blizzard est une brute krashmale qui n'a pas froid aux yeux ! Son pouvoir : lancer des jets de glace qui peuvent frigorifier ou même assommer ses adversaires. Après avoir été congelé dans un glacier au pôle Nord il y a 150 ans, il vient de se réveiller. Son but est de retrouver la cachette de l'eau de Kaboum, dont il a oublié l'emplacement.

Selsia

Selsia est la cousine de Fiouze. Comme lui, cette Krashmale est couverte de poils et parle d'une drôle de façon. Elle a le don de voyance, qui lui permet de deviner l'avenir.

Pestilä

Cette Krashmale est réputée pour sa cruauté. Elle prend plaisir à servir de docteure pour les Krashmals, en faisant exprès de faire souffrir ses patients. Elle habite un grand château en Allemagne, où elle fait l'élevage de vampiris, des chauves-souris krashmales.

Résumé

Pénélope est gravement malade. Le seul remède qui pourrait la guérir est une très ancienne recette magique qu'on appelle la «Panacée». Les Sentinelles ont donc une double tâche: déchiffrer l'énigme de la recette et aller aux quatre coins du monde pour en trouver les ingrédients.

L'énigme de la recette de la Panacée: «Un Castor doit préparer la fleur de Borée avec des plumes de dodo. Puis, un éléphant poilu doit écraser avec sa patte des feuilles à treize pointes et la sève d'un oiseau d'Hadès. Ensuite, un serviteur du Mal doit donner des rognures de ses sabots, qu'il faut mélanger avec une pomme d'eau du matin. La mixture doit chauffer dans un bol sacré le temps de trois méditations ancestrales, et être brassée par le bâton d'Hippocrate.»

Pendant ce temps, Fiouze a trouvé un Krashmal congelé dans un glacier près du pôle Nord. Il s'agit de Blizzard, un cow-boy du XIXe siècle qui a juré de se venger des Karmadors.

Chapitre 1

Dans le salon de la base des Sentinelles, Mistral et Gaïa sont assis sur le divan, entourés de leurs amis. Les deux Karmadors viennent tout juste de rentrer de leur expédition au Brésil, et le costume de Mistral est percé de petits trous et de déchirures causés par les piranhas du fleuve Amazone.

Mistral raconte son affrontement avec Sliss, le serpent géant:

– Et c'est alors que Sliss m'a posé une énigme impossible à résoudre!

– Laquelle? demande Xavier, fasciné.

Le Karmador blond imite la voix grave du reptile:

– «Ils sont deux: un frère et une sœur. Le frère engendre la sœur, et la sœur engendre le frère. Qui sont-ils?»

– Je n'en ai aucune idée, répond Lumina.

– Je t'avais dit qu'elle était impossible à résoudre, cette énigme! dit Mistral à sa sœur.

– Moi je sais! s'exclame Xavier en levant la main comme à l'école. Il s'agit du jour et de la nuit, non?

Tout le monde regarde Xavier avec un air impressionné. Surtout Mistral, qui n'en revient pas:

– Euh, oui, c'est ça. Dis donc, toi! Tu es un vrai génie!

Le Karmador blond passe sa main dans les cheveux du garçon. Puis il détache une petite dent très pointue restée coincée dans la manche de son costume. Il la tend à Xavier :

– Tiens, mon vieux. C'est une dent de piranha de l'Amazone, à ajouter à ton musée des victoires des Sentinelles.

Xavier s'empare de la dent, tout excité.

ϟϟϟ

Dans l'ancienne caverne de Shlaq, Fiouze, Blizzard et Selsia sont assis autour d'une marmite de soupe aux vers de terre.

Blizzard crache aux pieds de son assistant:

– Cette soupe est abominable! Si je n'avais pas besoin de toi pour m'éclairer sur les coutumes du XXIe siècle, je te renverrais sur-le-champ!

– Merci de m'insssulter, votre altessse, répond Fiouze.

Le cow-boy maléfique secoue la tête, mécontent:

– Si seulement je pouvais retrouver la mémoire! Je me souviendrais de la cachette de l'eau de Kaboum et je deviendrais invincible, au lieu de perdre mon temps dans une caverne avec toi et ta cousine de malheur!

⚡⚡⚡

Dans la cuisine, Magma s'adresse à ses trois collègues en leur tendant chacun un sac:

– Pendant la mission au Brésil, nous avons reçu un paquet envoyé par STR. Il s'agit de nos nouveaux uniformes, en fibre spéciale.

Mistral défait l'emballage avec enthousiasme:

– Tu veux dire que nous avons enfin des costumes activés par nos pensées?

Magma hoche la tête:

– Oui. Nous pourrons dorénavant nous

changer en moins d'une seconde par la force de notre concentration. Aussi, quand ce tissu se déchire, il se répare tout seul!

Le Karmador blond sourit:

– Enfin! La prochaine fois que je me ferai attaquer par des piranhas, je n'aurai plus de courants d'air dans mon pantalon!

ϟϟϟ

Pénélope, dans son fauteuil roulant, se rend au bureau de Magma. Le Karmador l'accueille avec un sourire:

– Bonjour, comment vas-tu, Pénélope? demande-t-il.

– Je suis fatiguée mais de bonne humeur, répond la femme. Je suis venue te voir au sujet de la référence aux «oiseaux d'Hadès», dans la recette de la Panacée.

– As-tu trouvé des renseignements

à ce sujet? s'intéresse le chef des Sentinelles.

– Oui. Je sais qu'Hadès est un autre nom pour l'enfer. Nous devons donc trouver un «oiseau infernal», ce qui signifie un volatile krashmal. Et il n'y a qu'une seule créature de ce type: les vampiris.

– Les vampiris? s'exclame Magma. Ces chauves-souris monstrueuses qui nous ont attaqués l'an dernier?

– Le sang des vampiris a des propriétés magiques exceptionnelles, explique Pénélope. Il est utilisé dans plusieurs potions krashmales. Je crois que « la sève d'un oiseau d'Hadès » signifie le sang d'un vampiris.

Magma consulte les archives karmadores sur son ordinateur :

– Il semble que les vampiris proviennent tous d'Allemagne, annonce-t-il. Une Krashmale du nom de Pestilä se spécialise dans l'élevage de ces chauves-souris maléfiques. Elle habite un château isolé, dans les montagnes. Il faut aller là-bas !

– J'ai déjà entendu parler de Pestilä, dit Pénélope. C'est une femme cruelle et rusée. Elle ne va pas être facile à déjouer.

Magma a un sourire en coin :

– Cette Krashmale n'a aucune idée que les Karmadors de la brigade des Sentinelles s'apprêtent à lui rendre une petite visite surprise !

⚡⚡⚡

Dans la caverne, Blizzard se tourne vers Selsia :

– Et toi, sorcière de malheur ? As-tu résolu l'énigme de la Panacée que nous avons volée aux Karmadors ?

– J'en ai élucidé une parrrtie, Blizzarrrd, glousse la Krashmale. L'allusion aux « oiseaux d'Hadès » est clairrrement une rrréférrrence aux vampirrris. Je ne peux pas t'en dirrre plus, carrr le rrreste de la rrrecette est un mystèrrre pourrr moi.

Fiouze fronce les sourcils :

– La Krashmale Pessstilä est la ssseule qui élève des vampirisss. Elle en a vendu quelques-uns à Shlaq, l'an dernier, pour attaquer les Sssentinelles.

Selsia affiche un rictus :

– Je suggèrrre d'averrrtirrr Pestilä que

les Karrrmadorrrs s'apprrrêtent à venirrr la voirrr!

ϟϟϟ

Dans le salon, Magma et Gaïa discutent:

– Mistral, Lumina et moi allons partir en Allemagne, annonce le chef des Sentinelles. Pendant notre absence, tu seras responsable de la famille Cardinal.

Gaïa hoche la tête:

– D'accord. Et si tu permets, je vais en profiter pour mener une petite opération contre les Krashmals.

– Toi, tu as une idée derrière la tête, sourit Magma.

– On ne peut rien te cacher, répond la Karmadore aux antennes.

Gaïa s'empare de sa goutte et l'active:

– Allô, Titania? J'aurais besoin de toi…

ϟϟϟ

Dans l'ancienne caverne de Shlaq, Fiouze s'acharne à faire fonctionner un vieil appareil krashmal, sous le regard intrigué de Blizzard :

– Quelle est cette invention diabolique ? l'interroge le cow-boy.

– Un téléphone krrrashmal, répond Selsia. C'est une machine qui va nous perrrmettrrre de joindrrre Pestilä, en Allemagne.

Blizzard crache par terre :
– C'est de la sorcellerie !
– Mais non, soupire Selsia. C'est de la technologie !

ϟϟϟ

Devant la base, Magma, Mistral et Lumina enfilent leurs KarmaJets. Xavier, Mathilde et Pénélope assistent à leur départ depuis le perron :
– Bonne chance ! s'écrie Mathilde.
– Essayez de nous rapporter un souvenir d'Allemagne ! ajoute Xavier.
– Ne t'en fais pas, je ne t'oublierai pas ! lui dit Mistral avec un clin d'œil.
Les KarmaJets s'allument et les Sentinelles décollent. Les trois silhouettes disparaissent dans les nuages.

Chapitre 2

Dans la caverne, Selsia est occupée à lire un grimoire du clan du Renard. Blizzard l'approche, menaçant:

– Je n'aime pas la sorcellerie, rugit-il.

Selsia se raidit et lui répond sèchement:

– Ton chapeau fait de l'ombrrre sur ma page!

Le cow-boy ne bouge pas. Son regard est dur:

– C'est une sorcière qui a effacé mes souvenirs de la cachette de l'eau de

Kaboum. Et même si ça ne me plaît pas, il va me falloir une sorcière pour retrouver la mémoire!

– Tu me demandes de l'aide? souffle Selsia, surprise.

– Oui, grogne le Krashmal. Tu es sorcière, non?

ϟϟϟ

À la base des Sentinelles, une Karmadore se pose devant le perron. Xavier et Mathilde courent vers la nouvelle arrivante:

– Titania! crie Mathilde.

La Karmadore enlève son casque de sécurité et prend les enfants dans ses bras:

– Comment allez-vous, mes petits monstres? les taquine-t-elle.

– Il s'est passé plein de choses depuis

la dernière fois qu'on s'est vus! annonce Xavier.

– Ouais! poursuit Mathilde. Nous avons été attaqués et nous avons trouvé un cardinal blessé devant la maison.

– Nous l'avons placé dans une cage pour qu'il puisse guérir tranquillement, explique Xavier. Je voulais l'appeler Karmadinal et Mathilde voulait l'appeler Sentinal.

– Et alors ? demande Titania. Quel nom avez-vous choisi ?

– Carnaval le cardinal, répond le garçon. C'est notre mère qui l'a nommé. D'après elle, cet oiseau va nous porter chance.

Gaïa vient les rejoindre :

– Merci d'être venue, dit-elle à Titania.

Au-dessus de l'océan Atlantique, trois silhouettes fendent les nuages à la vitesse du son. Les Sentinelles survolent les eaux agitées :

– Je ne suis jamais allé en Allemagne ! confie Mistral dans la radio de son casque.

– Moi non plus, répond Magma. Dommage que nous n'ayons pas de temps à perdre, nous aurions pu faire un peu de tourisme.

– Quand arrivons-nous? demande Lumina.

– Nous serons au château de Pestilä dans deux heures environ, répond Magma en consultant sa montre.

ϟϟϟ

Dans la caverne, Blizzard fait la sieste, son chapeau posé sur le visage. Un peu plus loin, au-dessus d'un feu de camp, Selsia et Fiouze préparent la marmite et quelques ingrédients magiques.

– Tu es sssûre que tu sssais ce que tu fais? chuchote Fiouze à sa cousine.

– Oui, répond-elle. Avec cette potion, je vais rrrafraîchirrr la mémoirrre de Blizzarrrd.

– Sssi le patron retrouve ssses sssouvenirs, il mettra la main sssur l'eau de Kaboum et il va devenir indessstructible!

Selsia sourit de tous ses crocs:
– Pas si je bois l'eau avant lui, cousin!
Fiouze ricane en silence.

ϟϟϟ

En Allemagne, en pleine nuit, la silhouette d'un immense château se dessine dans les Alpes. Puis, trois petites lumières s'en approchent: les Sentinelles arrivent à destination.

Magma, Mistral et Lumina atterrissent près de la citadelle de Pestilä. Ils posent pied à l'orée d'une forêt, à une centaine de mètres de la porte du château.

Le chef des Sentinelles enlève son casque et observe les environs :

– Nous avons été discrets, je ne crois pas que Pestilä ait pu nous détecter.

Déposons nos KarmaJets ici, et poursuivons notre chemin à pied.

Mistral sourit en détachant ses sangles :

– Elle va avoir toute une surprise, cette Krashmale !

ϟϟϟ

À la base des Sentinelles, Gaïa explique son plan à Titania :

– Depuis que les Krashmals ont volé la camionnette, ils ne cessent de s'en servir. Ce véhicule leur permet de se déplacer rapidement pour commettre des crimes et nous attaquer. Je suggère donc de leur reprendre ce qui nous appartient.

– Tu veux que j'aille chez les Krashmals pour récupérer la camionnette ?

Gaïa hoche la tête. Le visage de Titania s'illumine :

– Rien ne me fera plus plaisir ! Et en

plus, ça leur donnera une bonne leçon!

ϟϟϟ

Dans la caverne, Fiouze et Selsia réveillent Blizzard, qui ronflait bruyamment.

– Quoi? grogne le cow-boy. Vous m'avez sorti d'un cauchemar plaisant!

– La potion est prête, votre altessse, annonce Fiouze. Il faut la boire pendant qu'elle est chaude.

Selsia tend un bol rempli d'un liquide brunâtre. Blizzard s'en empare et le boit d'une traite. Il pousse un rot retentissant.

– Est-elle bonne? demande Fiouze. Je voulais ajouter du piment rouge et du sssoufre, mais ma cousine trouve que je mets toujours trop d'épices quand je cuisine.

Blizzard secoue la tête:

– Tant pis pour le piment ! J'ai hâte de retrouver la mémoire !

Soudain, le Krashmal se masse l'abdomen :

– Malédiction ! J'ai mal au ventre ! Et je me sens faible ! Vous m'avez drogué !

Selsia sourit méchamment :

– Parrrfait, ma potion fonctionne !

ϟϟϟ

En Allemagne, les Sentinelles marchent avec précaution vers le château. Magma fait signe aux autres d'arrêter et de se cacher.

Accroupis, les Karmadors remarquent alors une silhouette poilue et griffue, assise devant l'entrée de la citadelle, à une centaine de mètres d'eux.

– C'est Gräg, le chien de garde de Pestilä, chuchote Magma. Je me doutais qu'il serait là.

– Qu'est-ce qu'on fait ? demande Mistral. Veux-tu que je le distraie pendant que Lumina et toi vous faufilez derrière lui ?

– Pas besoin, dit Magma. J'ai ce qu'il faut. Regardez !

Le chef des Sentinelles sort une grosse boule de papier d'aluminium de la poche de sa veste. Il l'ouvre devant ses amis :

– J'ai préparé de la viande pour Gräg. Et j'y ai ajouté un somnifère, pour l'aider à dormir un peu. Mistral, toi qui es plus fort que moi, veux-tu m'aider ?

– Certainement ! répond le Karmador blond en s'emparant de la boulette.

De toutes ses forces, Mistral lance le repas empoisonné au chien. La viande atterrit juste sous le museau de l'animal, qui grogne de satisfaction.

Gräg dévore la croquette avec plaisir. Puis, il se met à bâiller. Les Sentinelles se dirigent vers le château tandis que le gros chien se couche, assommé par le médicament.

– Il est drôlement efficace, ton somnifère! s'exclame Lumina. Comment as-tu fait?

– Un chimiste ne révèle jamais ses secrets, répond Magma.

– Fais de beaux rêves, gros toutou! lance Mistral en passant à côté de la bête.

ϟϟϟ

Dans la caverne des Krashmals, Blizzard est couché au sol, la langue sortie et le regard hébété. Selsia lui souffle une incantation magique:

– Tu vas obéirrr

à mes orrrdrrres, Blizzarrrd! Tu es sous mon contrrrôle!

Derrière elle, Fiouze tape dans ses mains, tout excité par le plan de sa cousine.

ϟϟϟ

Au pied du château, dans la nuit allemande, les Sentinelles arrivent devant un grand mur de pierres:

– Comme la porte d'entrée est verrouillée, nous allons nous faufiler par une fenêtre, annonce Magma.

– Mais la seule fenêtre ouverte est à plus de 50 mètres de haut! s'exclame Lumina. Il faut y accéder en KarmaJet.

– Non, répond Magma. Nous pourrions être détectés. J'ai une meilleure idée. Mistral, prends la main de ta sœur.

Le Karmador blond sourit:

– Je crois que j'ai deviné ton plan. Accrochez-vous!

Le frère et la sœur se tiennent par la main tandis que Magma se cramponne aux épaules de Mistral. Puis, le Karmador blond, dont les pouvoirs sont décuplés, gonfle les poumons.

— Vas-y! crie Magma.

Mistral expire vers le sol. Sous la force de son supersouffle, les trois Karmadors s'envolent dans les airs! Ils atteignent facilement la fenêtre, à laquelle ils s'accrochent.

Chapitre 3

Dans le salon de la base des Sentinelles, Titania discute avec Gaïa, Xavier et Mathilde. La Karmadore aux muscles de titane manipule sa goutte:

– Ma goutte ne détecte pas la camionnette, dit-elle. Cela signifie que les Krashmals ont désactivé son GPS.

– Est-ce que je peux voir? demande Xavier.

Titania donne sa goutte au garçon, qui l'examine de plus près, fasciné par l'appareil de très haute technologie.

– Les Krashmals n'ont pas beaucoup d'imagination, rappelle Gaïa. Il est très probable que Fiouze et Blizzard se cachent dans l'ancien repaire de Shlaq.

– Tu veux dire sa caverne? l'interroge Mathilde.

– Exact, répond la Karmadore aux antennes. Selon Magma, quand les Krashmals se sont enfuis, la dernière fois, c'était en direction de la caverne de Shlaq.

Titania se lève:

– Je vais donc aller voir là-bas si la camionnette s'y trouve!

ϟϟϟ

En Allemagne, au château de Pestilä, Magma, Lumina et Mistral entrent sans faire de bruit par la fenêtre ouverte. Ils se retrouvent au bout d'un corridor. De chaque côté, les murs semblent être faits en métal.

– Curieux endroit, constate le Karmador blond. Ces murs ressemblent à d'immenses portes.

– Restez sur vos gardes, dit Magma. Il ne faut pas alerter Pestilä de notre présence.

La voix rauque d'une femme se fait entendre depuis un haut-parleur, au plafond:

– Bienvenue dans mon château, Karmadors! Ici Pestilä. J'espère que votre visite sera... souffrante!

Les Sentinelles se regardent, perplexes, tandis que la Krashmale éclate de rire dans son haut-parleur

– «Souffrante?» s'inquiète Mistral. On dirait que Pestilä nous attendait!

ϟϟϟ

À la base des Sentinelles, Xavier et Mathilde discutent avec Gaïa et Pénélope:

– S'il vous plaît, implore Mathilde. Laissez-nous partir avec Titania à la recherche de la camionnette!

– Il n'en est pas question, répond Pénélope. C'est beaucoup trop dangereux.

– Votre mère a raison, ajoute Gaïa.

Titania risque de se heurter aux Krashmals pendant sa mission.

Par la fenêtre, Xavier observe la Karmadore musclée qui boucle son KarmaJet:

– Ce n'est pas juste, dit le garçon. On n'a jamais le droit de partir à l'aventure!

Pénélope sourit:

– Mes petits choux, vous vivez plus d'aventures que n'importe quel autre enfant!

ϟϟϟ

Dans le corridor du château de Pestilä, un déclic métallique résonne.

– Les murs! Ils bougent! remarque Lumina.

De chaque côté des Sentinelles, les parois montent comme des stores. Derrière celles-ci, dans la pénombre, des feuilles géantes s'agitent. Lumina envoie un rayon lumineux pour y voir plus clair.

Ce qu'elle aperçoit la fait frémir:

– Des plantes carnivores! Il y en a des dizaines!

Une véritable forêt de plantes voraces encercle les Karmadors. Les végétaux maléfiques marchent sur des feuilles veineuses qui leur servent de pattes. Plusieurs ouvrent leur gueule pleine de crocs et se lèchent les babines.

– C'est un cauchemar ! grogne Magma. Je déteste ces plantes !

– Je paierais cher pour que Gaïa soit là ! ajoute Mistral. Elle pourrait leur demander d'aller se coucher !

Les plantes rugissent en avançant vers les trois amis.

ϟϟϟ

À la base des Sentinelles, Xavier et Mathilde placent la cage de Carnaval le cardinal sur le perron, afin que l'oiseau en convalescence puisse prendre un peu d'air.

Les enfants voient Titania décoller en KarmaJet en direction de la caverne des Krashmals.

Soudain, Xavier met la main dans sa poche et en extrait la goutte de la Karmadore :

– Oh non ! fait-il. J'ai oublié de lui remettre sa goutte ! Qu'est-ce qu'on fait ?

Mathilde fronce les sourcils :

– Il faut la lui porter ! Elle en aura besoin contre Blizzard et Fiouze !

Xavier a un sourire en coin :

– Tu as raison ! Allons prendre nos vélos !

⚡⚡⚡

Au château, les plantes carnivores encerclent les Sentinelles. Dans quelques instants, nos héros se retrouveront dans l'estomac de ces végétaux affamés!

Sans perdre une seconde, Mistral serre la main de sa sœur avec force.

– Aïe! dit Lumina.

Le Karmador blond gonfle ses poumons... et souffle droit devant lui. Le vent terrible qu'il crache repousse les plantes. Un passage s'ouvre aux trois amis.

– Vite! Foncez droit devant! ordonne Magma.

Les Sentinelles courent à toute vitesse vers le fond du corridor, où les attend une porte. Les plantes font claquer leurs crocs de rage tandis que les Karmadors leur filent sous le nez.

Mistral est le premier arrivé au bout. Il ouvre la porte et laisse passer ses deux collègues avant de la refermer derrière lui. Ouf!

ϟϟϟ

Dans la caverne des Krashmals, Blizzard est couché sur le dos, toujours sous l'effet de la potion de Selsia:

– Allez, grrros Blizzarrrd! lance la Krashmale. Dis-moi où se cache l'eau de Kaboum!

Le cow-boy, hypnotisé, répond d'une voix lente:

– Je ne m'en souviens pas...

Selsia pousse un grand soupir de

découragement :

– Calamité ! crache-t-elle. Ma potion n'est pas assez puissante pourrr annuler l'incantation du Grrrand Oubli de la sorrrcièrrre Mélopée !

ϟϟϟ

Dans la citadelle de Pestilä, les Sentinelles sont maintenant dans une grande pièce aux murs de pierres. Devant eux se dresse une autre porte.

– On est mieux ici! affirme Mistral. Au moins, il n'y pas de plantes carnivores.

Magma regarde autour de lui, méfiant.

– Je suggère de trouver Pestilä le plus tôt possible pour sortir de cette citadelle! Je crains d'autres pièges!

Un grand déclic retentit dans la pièce. Les Karmadors se précipitent vers la porte, mais celle-ci est bloquée.

⚡⚡⚡

Dans la forêt, près du repaire des Krashmals, Titania dépose son KarmaJet. Elle regarde autour d'elle:

– Bon, où se cache-t-elle, cette caverne?

La Karmadore met la main à sa ceinture... et se raidit:

– Ma goutte! Je l'ai oubliée à la base!

ϟϟϟ

En Allemagne, dans le château, les Sentinelles sont devant la porte bloquée. Ils entendent un mécanisme grincer de chaque côté.

– Les murs ! s'exclame Mistral. On dirait… qu'ils se rapprochent !

En effet, les parois se referment lentement sur nos héros.

– Magma ! crie Lumina. Utilise ton pouvoir pour déverrouiller cette porte avant que les murs nous réduisent en purée !

Le Karmador se concentre. Il fronce les sourcils :

– Il n'y a pas de métal dans cette porte. Je crois qu'elle est maintenue fermée par une poutre de bois. Il faudrait la défoncer, mais elle est trop solide pour nous. Si seulement Titania était ici !

Mistral se fige :

– La seule issue est de retourner dans la pièce aux plantes carnivores ! Nous sommes coincés !

ϟϟϟ

Dans un sentier de forêt qui mène à l'ancienne caverne de Shlaq, Xavier et Mathilde pédalent le plus vite qu'ils peuvent.

– C'est loin! souffle Xavier, derrière sa sœur.

– Nous y sommes presque! répond Mathilde.

ϟϟϟ

Dans le château, les murs avancent en grinçant. La grande pièce est devenue un étroit corridor. Il ne reste que peu de temps aux Sentinelles pour se sortir de là avant d'être écrabouillées!

– Écoutez! s'écrie Magma. Les murs

émettent un léger cliquetis. Le mécanisme qui les pousse vers nous est constitué d'engrenages en métal ! Je vais tenter de les faire fondre.

– Dépêche-toi ! dit Lumina, qui s'efforce de retenir la paroi.

Le chef des Sentinelles serre les poings en se concentrant.

Chapitre 4

Dans la caverne des Krashmals, Fiouze lève le nez, curieux:

– Est-ce que tu sssens ça, Ssselsssia? demande-t-il. Ça sssent le Karmador!

Selsia se met à renifler à son tour:

– Tu as rrraison, cousin. Quelqu'un apprrroche de notrrre cachette!

ϟϟϟ

Dans la citadelle, les deux murs sont presque collés l'un à l'autre. Mistral et

Lumina tentent de les repousser avec leurs bras mais en vain. Magma utilise son pouvoir sur le mur de droite, en se concentrant sur les mécanismes derrière celui-ci.

Un grincement métallique suivi d'un bruit sourd se font entendre. Le mur cesse d'avancer.

– Hourra! s'exclame Mistral. Tu nous as sauvés!

Les Sentinelles mettent toute leur énergie à pousser le mur bloqué tandis que Magma fait fondre ses engrenages. Après quelques secondes, le mécanisme cède complètement et la paroi de droite bascule vers l'arrière. Elle s'écrase avec fracas.

Les Karmadors découvrent alors une pièce vide où se trouve une fenêtre.

– Vite! lance Lumina. Sortons d'ici!

ϟϟϟ

Dans la forêt, Titania avance prudemment vers l'entrée de la caverne des Krashmals.

– Enfin ! se dit la Karmadore. Je commençais à désespérer de trouver cette cachette…

La femme musclée inspecte les environs. Au sol, elle remarque des traces de pneus.

– La camionnette est passée par ici.

La Karmadore s'engage à l'intérieur de la grotte.

ϟϟϟ

Au château de Pestilä, les Sentinelles sortent par une fenêtre et escaladent le mur extérieur en prenant appui sur les gargouilles qui le décorent. Les Karmadors grimpent jusqu'au toit, quelques mètres plus haut, sous le ciel étoilé.

Une fois sur la toiture, Mistral pousse un soupir de soulagement :

– Elle est infernale, cette citadelle !

– Par ici, dit Magma en commençant à marcher. Je vois un puits de lumière.

Les Sentinelles avancent sur le toit sans faire de bruit.

Magma s'approche du dôme vitré et observe la pièce, en dessous :

– Là ! lance-t-il. Regardez ! C'est Pestilä !

Sous les pieds de nos héros, la petite Krashmale rondelette est en train d'aiguiser un couteau sur une meule. Elle ignore qu'on l'espionne.

– Je crois qu'il est temps de rencontrer notre hôtesse, annonce Magma.

ϟϟϟ

Titania progresse lentement dans la caverne des Krashmals. Près d'un feu de camp, elle aperçoit une personne assise.

– Blizzard ! s'exclame la Karmadore en durcissant ses muscles.

Le cow-boy, avachi, regarde son adversaire avec un air hébété :

– Que se passe-t-il ? Je crois que je me suis assoupi...

Titania se dirige vers Blizzard, menaçante :

– Je suis venue reprendre la camionnette que tu nous as volée !

Le Krashmal enfonce son chapeau et se lève difficilement :

– Je ne me sens pas très bien, fait-il en grommelant. C'est la potion...

Titania agrippe le cow-boy par le collet:

— Dis-moi où se trouve le véhicule!

Derrière la Karmadore, cachées dans l'ombre, deux silhouettes velues avancent en silence.

ϟϟϟ

Au château, les Sentinelles fracassent le puits de lumière et sautent dans le bureau de Pestilä. Ils atterrissent devant la Krashmale, qui laisse échapper le couteau qu'elle aiguisait.

– Surprise, surprise! dit Mistral.

La femme rondelette recule jusqu'à une table:

– Les Karmadors! Je croyais que mes murs vous avaient écrabouillés!

Magma vient se planter devant la Krashmale:

– Nous avons besoin de sang de vampiris. Donne-nous ce que nous voulons et nous repartirons.

Les yeux de Pestilä se plissent derrière ses lunettes épaisses :

– Vous voulez des vampiris ?

Elle appuie sur un bouton, caché sous la table.

Soudain, le sol se dérobe sous les Karmadors. Magma, Lumina et Mistral tombent dans une trappe secrète !

ϟϟϟ

Dans la caverne, Titania traîne Blizzard, qui est trop faible pour se défendre :

– Toi, tu vas rentrer avec moi au QG des Sentinelles. Il est temps que tu payes pour tes crimes !

Derrière la Karmadore, Fiouze et Selsia s'approchent doucement…

ϟϟϟ

À la base des Sentinelles, Pénélope lit un livre sur les Krashmals. Gaïa vient la rejoindre :

– Que fais-tu ? s'intéresse la Karmadore.

– Je me renseigne sur l'histoire des Krashmals, répond la femme. Je tente de résoudre la suite de l'énigme de la Panacée.

– As-tu vu Xavier et Mathilde? demande Gaïa. Je les cherche partout. Ils ont laissé Carnaval le cardinal sur le perron, sans surveillance.

Pénélope pose son livre et soupire:

– Ils ont sûrement trouvé une façon de partir à l'aventure. Je ne serais pas surprise qu'ils aient suivi Titania dans sa mission.

Gaïa se raidit:

– Dans ce cas, je vais partir à leur recherche !

Pénélope ferme les yeux et se concentre. Elle pense très fort à ses enfants. Puis elle secoue la tête :

– Ils ne sont pas en danger. S'ils l'étaient, je le sentirais.

ϟϟϟ

Quelque part dans les entrailles du château, les Sentinelles déboulent sur une longue glissoire.

Les Karmadors terminent leur chute dans la cave du château, tombant les uns sur les autres.

– Aïe ! fait Mistral. Où sommes-nous ? Je ne vois rien !

La pièce est plongée dans les ténèbres. Magma se relève péniblement :

– Je ne sais pas, dit-il. Le sol est mouillé. Je crois que nous sommes dans les oubliettes du château. Peut-être une cellule.

– Là ! Regardez ! chuchote Lumina.

Dans l'obscurité brillent deux petits yeux rouges. Puis, une autre paire d'yeux brille un peu plus loin. Et une autre. Partout autour des Karmadors, des yeux maléfiques les observent.

Chapitre 5

Xavier et Mathilde arrivent à vélo à l'entrée de la caverne des Krashmals, essoufflés. Ils remarquent la silhouette des deux cousins velus, plus loin, qui leur tournent le dos.

– Regarde! C'est Fiouze! dit Mathilde. Titania est peut-être en danger!

Sans perdre une seconde, les enfants pédalent vers l'intérieur de la caverne. Xavier crie:

– Titania! Attention à Fiouze!

La Karmadore se retourne aussitôt

et fait face aux deux Krashmals poilus :

– Alors, vous vouliez me surprendre par derrière ? demande Titania. C'est raté !

Fiouze et Selsia se regardent en grimaçant :

– Sssacrilège ! siffle Fiouze. La ssseule façon de battre cette Karmadore est de la sssurprendre. Maintenant, il n'y a rien à faire. Elle est trop forte pour nous !

ϟϟϟ

Dans les oubliettes du château, Lumina fait jaillir de sa main son rayon lumineux pour éclairer les lieux.

La pièce est très grande. Et partout autour des Karmadors, des centaines de chauves-souris krashmales les regardent avec appétit. La lumière leur fait pousser

des petits cris de douleur.

– Des vampiris ! s'exclame Mistral. Et ils ne semblent pas aimer la lumière !

Le Karmador gonfle ses poumons et souffle sur les bêtes. Le vent crée un tourbillon dans la pièce et les vampiris volent dans tous les sens.

– Arrête, Mistral ! crie Lumina. C'est encore pire comme ça !

Mistral interrompt son supersouffle tandis que les vampiris continuent de voler autour des Sentinelles.

– Nous voilà dans de beaux draps ! s'exclame Magma. Ça m'apprendra, de demander gentiment du sang de vampiris à une Krashmale !

ϟϟϟ

Dans la caverne des Krashmals, Fiouze et Selsia prennent leurs jambes à leur cou. Ils détalent en direction des enfants, qui tombent de leurs vélos.

– Pousssez-vous, sssacripants ! crie Fiouze en tentant de les contourner.

Les deux cousins disparaissent dans la forêt. Titania laisse tomber Blizzard et court vers les enfants :

– Xavier ! Mathilde ! Que faites-vous ici ?

La fillette se relève en s'époussetant:

– Euh… nous sommes venus te rapporter ta goutte, dit-elle avec un sourire gêné.

ϟϟϟ

Dans les oubliettes du château, les Sentinelles sont assaillies par une nuée de vampiris qui virevoltent frénétiquement.

Magma s'inquiète:

– Seule la lumière du soleil peut détruire ces chauves-souris diaboliques! Qu'allons-nous faire?

Lumina s'impose:

– J'ai une idée! Mistral, donne-moi ta main!

Mistral obéit et serre la main de sa sœur.

– Je vais les faire bronzer, ces créatures! lance Lumina.

Ses pouvoirs décuplés par le contact avec son frère, la Karmadore émet par ses yeux un rayon éblouissant.

Magma et Mistral ferment leurs paupières pour ne pas être aveuglés. Les oubliettes deviennent aussi lumineuses qu'un après-midi ensoleillé. Les chauves-souris poussent des cris stridents.

Soudain, un vampiris explose en un nuage de poussière. Puis, un autre se désintègre. Et un autre! Bientôt, toutes les créatures disparaissent en laissant une fine poudre.

Épuisée, Lumina éteint son rayon et s'assoit. Les oubliettes se retrouvent plongées dans l'obscurité. Mistral ouvre les yeux :

– Bien fait pour ces satanées chauves-souris ! Elles n'avaient qu'à mettre de la crème solaire !

Magma se tourne vers la glissoire :

– Et maintenant, remontons par où nous sommes descendus ! Mistral, nous allons avoir besoin de ton surpersouffle pour nous aider.

ϟϟϟ

Dans la caverne des Krashmals, Titania prend les deux enfants dans ses bras :

– Vous n'auriez jamais dû venir ici !

C'est trop dangereux! Pourquoi Gaïa vous a-t-elle laissés me suivre?

Xavier se racle la gorge:

– Elle ne sait pas que nous sommes ici.

Titania secoue la tête:

– Vous êtes incorrigibles!

La Karmadore active sa goutte:

– Allô, Gaïa? Ici Titania. Je suis avec Mathilde et Xavier. Nous sommes sains et saufs!

– Blizzard! Il a disparu! s'inquiète Mathilde.

La Karmadore observe le fond de la caverne:

– Il en a profité pour aller se cacher. Et ce n'est pas avec vous deux que je vais partir à sa poursuite. Allez, venez, sortons d'ici!

ϟϟϟ

Au château, dans son bureau, Pestilä est au téléphone. Elle laisse un message à Fiouze sur sa boîte vocale :

– Oui, Fiouze ? Ici Pestilä. Je voulais te remercier de m'avoir avertie de la venue des Sentinelles. Je les ai données en pâture à mes vampiris.

– C'est ce que tu crois ! lance Magma.

La Krashmale raccroche aussitôt le combiné et se tourne vers les Karmadors, qui émergent de la trappe secrète.

– Comment avez-vous survécu ? demande la femme aux lunettes.

– Nous sommes les Sentinelles, répond simplement Lumina. Il faut plus que des plantes carnivores, des murs écrasants et des vampiris pour nous arrêter !

Sans avertissement, Pestilä dégaine une épée terrible d'un fourreau caché sous son pupitre :

– Alors je vais vous couper en rondelles avec mon épée ! rugit-elle.

ϟϟϟ

Devant l'entrée de la caverne des Krashmals, Xavier aperçoit des traces de pneus au sol.

– C'est bizarre, s'étonne le garçon. Ces marques s'arrêtent net devant ces arbustes…

Titania inspecte les buissons de plus près. En s'approchant de la végétation, elle découvre qu'il s'agit en fait d'une montagne de branches déposées pêle-mêle. Elle en retire quelques-unes... et trouve la camionnette sous les feuilles!

La Karmadore dégage la portière et s'installe derrière le volant.

– Pouah! fait-elle. Ça pue le Krashmal, ici. Dès que nous serons rentrés, je vais devoir laver cette camionnette de fond en comble!

Xavier et Mathilde mettent leurs vélos dans le véhicule et s'assoient derrière Titania, qui sourit.

– Et maintenant, partons retrouver Gaïa et Pénélope! dit-elle en démarrant.

ϟϟϟ

Au château, Pestilä pointe son épée vers les Sentinelles:

– Je ne vais pas perdre la face devant vous, misérables Karmadors!

Magma utilise son pouvoir sur la poignée de l'épée, qui devient très chaude.

– Ouille! crie la Krashmale en lâchant son arme.

Pestilä recule devant ses adversaires en soufflant sur sa main:

– Que voulez-vous ? se lamente-t-elle, défaite.

Magma sourit :

– Je te l'ai déjà dit. Nous avons besoin de sang de vampiris. C'est pour une amie.

La Krashmale ouvre la porte d'une petite armoire et s'empare d'un flacon, qu'elle tend aux Karmadors :

– Tenez ! Et maintenant, laissez-moi en paix ! Disparaissez de ma vue !

– Qu'est-ce qui nous assure qu'il s'agit bien du sang d'un vampiris dans cette fiole ? demande Lumina.

Magma s'empare de sa goutte et l'oriente vers la petite bouteille pour en vérifier la composition chimique. Il a un sourire satisfait :

– C'est bon, ce flacon contient ce que nous cherchons.

Mistral lève la main :

– Autre chose, Pestilä. Auriez-vous un

souvenir d'Allemagne? C'est pour un ami.

La Krashmale pousse un soupir exaspéré. Elle donne au Karmador un petit crâne qui servait de presse-papiers sur son pupitre:

– Tiens! Un crâne de vampiris pour ton ami!

Mistral est très content:

– Merci beaucoup! J'ai hâte de voir la tête de Xavier quand je vais lui donner ce bibelot!

ϟϟϟ

À la base des Sentinelles, la camionnette s'arrête devant le perron. Titania et les enfants en sortent.

Gaïa vient à leur rencontre:

– J'étais inquiète! dit-elle aux enfants. J'aimerais que vous arrêtiez de quitter la base sans ma permission!

– Excuse-nous, répond Mathilde. Nous sommes partis aider Titania.

La Karmadore aux muscles de titane sourit :

– C'est vrai. Ils m'ont aidée à déjouer les Krashmals et à retrouver la camionnette.

Pénélope les rejoint. Elle fronce les sourcils en regardant ses enfants :

– Vous avez laissé Carnaval le cardinal sans surveillance. Cet oiseau dépend de vous. Vous avez des responsabilités maintenant !

Xavier et Mathilde vont aussitôt s'occuper de l'oiseau malade, sur

le perron. Mathilde lui donne à boire et à manger tandis que Xavier nettoie le fond de la cage.

La goutte de Gaïa sonne. La Karmadore aux antennes répond:

– Oui? Magma? Vous avez trouvé le sang de vampiris? Quelle excellente nouvelle!

Les enfants sautent de joie:

– Hourra! s'exclame Xavier. Nous aurons bientôt tous les ingrédients pour sauver maman!

Table des matières

Dans le prochain tome...

Le laboratoire de Moisiux

Dans la petite ville de Sainte-Liberté-du-Cardinal, quatre Karmadors protègent les citoyens contre les méchants Krashmals. Ce sont les Karmadors de la brigade des Sentinelles!

La quête des ingrédients de la Panacée s'achève. Après avoir déjoué les plans de Pestilä dans son château d'Allemagne, les Sentinelles visitent le laboratoire du sinistre docteur Moisiux, un vieux Krashmal qui vit sur une petite île...

Pendant ce temps, Blizzard continue à faire des siennes! Grâce à un virus spécial qui ne s'attaque qu'aux Karmadors, le cow-boy s'en prend à Mistral.

Lumina saura-t-elle repousser Blizzard et son virus maléfique? Et si elle tombe au combat, qui protégera Xavier et Mathilde des griffes des Krashmals? La réponse se trouve peut-être dans le laboratoire du docteur Moisiux!

Dans la même série :

La mission de Magma, Tome 1
Le secret de Gaïa, Tome 2
Le souffle de Mistral, Tome 3
L'éclat de Lumina, Tome 4
Les griffes de Fiouze, Tome 5
L'ambition de Shlaq, Tome 6
La ruse de Xavier, Tome 7
La piqûre de Brox, Tome 8
L'aventure de Pyros, Tome 9
Le médaillon de Mathilde, Tome 10
La visite de Kramule, Tome 11
Le défi des Sentinelles – 1re partie, Tome 12
Le défi des Sentinelles – 2e partie, Tome 13
Le mal de Pénélope, Tome 14
L'énigme de la Panacée, Tome 15
La colère de Blizzard, Tome 16
La caverne de Philippe, Tome 17
Le repaire de Sliss, Tome 18
Le donjon de Pestilä, Tome 19

Achevé d'imprimer en octobre 2009 chez Gauvin, Gatineau, Québec